LA RISA DE LOS COCODRILOS

Dirección editorial
Ana Laura Delgado

Cuidado de la edición
Sonia Zenteno

Revisión del texto
Ana María Carbonell

Diseño
Ana Laura Delgado
Elba Yadira Loyola

© 2008. María Baranda, por el texto
© 2008. Julián Cicero, por las ilustraciones

Primera edición
D.R. © 2008. Ediciones El Naranjo, S. A. de C. V.
        Av. México núm. 570, Col. San Jerónimo Aculco,
        Delegación Magdalena Contreras, C. P. 10400, México, D. F.
        Tel/fax + 52 (55) 56 52 91 12 y 56 52 67 69
        elnaranjo@edicioneselnaranjo.com.mx
        www.edicioneselnaranjo.com.mx

ISBN 978-968-5389-67-9

Impreso en México • Printed in Mexico

LA RISA DE LOS COCODRILOS

MARÍA BARANDA

JULIÁN CICERO • ILUSTRADOR

ediciones
el naranjo

URGENTE, URGENTE

Ombia Yosuna Liana escribía cartas. Desde hacía muchos años trabajaba en una revista respondiendo las cartas que la gente enviaba, y nadie mejor que ella para contestar: cómo se hace una ensalada de cangrejos bajo la luz de la luna; qué canciones son las favoritas de las ratas y los tlacuaches; la manera más fácil de conseguir los mejores timbres postales en tan sólo dos días; qué traje ponerse si se recibe un premio por haber hecho el mejor pastel de piña, y un largo etcétera.

Todo empezó un lunes, cuando Ombia Yosuna Liana abrió su refrigerador y suspiró tres veces seguidas: había un poco de poro, dos papas y un litro de leche. Se sirvió la leche, puso a cocer una papa y se sentó a comer junto a la ventana. Desde ahí podía ver la calle, la parada del camión y la tienda de abarrotes de doña Severina.

Ombi, como era mejor conocida, hacía exactamente lo mismo todas las mañanas, excepto los jueves, que bajaba temprano a la parada del camión e iba a visitar a su hermana, que vivía en un pueblo lejano a dos horas de ahí.

Cuando terminó de desayunar, Ombi se limpió la boca con una servilleta floreada, cantó la canción del sapito glo-glo-gló y se dijo a sí misma:

—Chulada, es hora de ponerte preciosa.

Ombi siempre se decía a sí misma "chulada" porque eso le subía el ánimo. Por ejemplo, si se le olvidaba recoger y lavar los platos, cosa que ocurría con frecuencia, se llamaba la atención así:

—Chulada, por favor, que la próxima vez no se te olvide lavar los platos.

Y después se iba muy feliz y sonriente a hacer sus actividades de todos los días.

Ombi escribía en promedio entre ocho y diez cartas diarias, lo que la mantenía muy ocupada.

Ombi era muy amiga del señor Conac, su vecino. Entre ellos había una larga amistad, pero hasta la fecha se hablaban de "usted" y nunca, ni siquiera por equivocación, se habían dado la mano.

Todos los martes a las siete en punto de la tarde, el señor Conac tocaba el timbre de Ombi y la invitaba al cine. Todas las veces desde hacía casi veinte años, ella respondía lo mismo:

—No sé, tal vez, puede ser... ¿Qué vamos a ver?

El señor Conac proponía dos películas y Ombi contestaba:

—Ah, entonces veamos la primera.

Era un truco. Un truco del señor Conac.

Los lunes Ombi se sentaba en su mecedora frente a la puerta. El cartero llamaba dos veces seguidas al timbre. Ésa era la señal: Ombi bajaba lo más rápido posible la escalera. El

cartero, el señor Veedor, era muy amable y siempre insistía en entregar personalmente el paquete de cartas. Entonces aprovechaba para tomarle la mano y darle un falso beso. Esto le producía una ligera risita a Ombi, que después de recibir el manojo de cartas decía:

—Es usted un encanto, señor Veedor.

Sólo una vez, por fortuna, el señor Conac se había topado con el señor Veedor al pie de la escalera. Ambos se gruñeron como si fueran perros salvajes, al decir de Ombi, se olfatearon un poco, se vieron directo a los ojos y después se volvieron a gruñir, con más intensidad. Pero eso había sucedido hace ya muchos años.

Este lunes, Ombi tomó su manojo de cartas y subió la escalera cantando. Era una canción que hablaba de un columpio y de una lombriz. El señor Veedor se quedó escuchándola:

Y arriba en lo alto va la lombriz, briz, briz,
y arriba en lo alto va la lombriz, briz, briz,
y se columpia y se columpia, en un tris, tris.

El señor Veedor cerró la puerta que daba a la calle con mucho cuidado para no interrumpirla. Se fue con una sonrisa en la boca y pensó que nunca había escuchado a una mujer más feliz. Casi tenía razón el señor Veedor. Y decimos casi porque sólo una cosa deseaba Ombi para tener la felicidad total: una hija. Y decimos hija con "a", y no hijo con "o", porque Ombi soñaba con peinar a una niña y ponerle los doscientos veintiocho broches y los ciento treinta y cinco moños que había juntado a lo largo de los años. A veces tenía sueños maravillosos con esa hija que sonreía y sonreía llena de moños y broches.

Ombi dejó las cartas sobre la mesa del comedor. Fue al baño. Recordó que no se había lavado los dientes:

—Chulada, que no se te vuelva a olvidar —se dijo a sí misma y muy estrictamente. Ella sabía que si no se hablaba de esa manera, sería incorregible.

Después se sentó delante de las cartas. Lo primero que hacía, y que disfrutaba muchísimo, era colocar todos los sobres en fila y procuraba adivinar de qué tratarían.

Ombi suspiró dos veces. Casi nunca fallaba. Había desarrollado un ojo muy especial para leer anticipadamente, con la simple y sencilla información del sobre. Uno llamó su atención:

Señorita o señora Ombia. Urgente
Revista Todo lo que sé
Calle El Milagro núm. 25

Lo que la atrajo era lo de "Urgente". Llevaba ya veintidós años haciendo ese trabajo y nunca nadie se había dirigido a ella así. Por lo que fue el primer sobre que abrió.

Después de leer la carta, que además traía un hermoso dibujo, Ombi se puso a mirar por la ventana.

Hola, Ombia, soy Jonás y tengo una pregunta urgente:
¿por qué soy diferente a mi mamá?

Debajo de esta pregunta venía el dibujo de una mamá y un niño que se daban la mano. Por el dibujo no se entendía a qué diferencias se refería Jonás. El niño sonreía y estaba un poco bizco, la mamá sonreía más y mostraba todos sus dientes. Ella no estaba bizca, tenía el pelo largo y un vestido de color naranja. El niño llevaba puestos una camiseta y un pantalón rojos. Ombi notó inmediatamente que la mamá tenía zapatos y el niño no.

Ombi pensó durante mucho tiempo, casi una hora completa. Mordisqueó su pluma de tinta morada hasta que empezó a saberle un poco amarga. Se dio cuenta de que se había manchado la boca y se dijo a sí misma:

—Chulada, ¿qué has hecho?

Se limpió perfectamente con agua y jabón. Y entonces contestó la carta así:

Querido Jonás:
Por tu dibujo puedo notar que son muchas las diferencias
entre tu mamá y tú, pero hay una que es la principal: a ti
no te gustan los zapatos y a ella sí.

Atentamente
Ombi

Y luego fue a dejar la carta al correo. ¿Que por qué hizo esto Ombi? Bueno, pues podemos decir que cuando se tiene prisa por algo se debe actuar rápido. Y ella lo sabía muy bien.

Ombi regresó a su casa y terminó de contestar varias cartas más sobre cómo adelgazar con una dieta de pepinos, cómo utilizar los popotes para cantar, cuál era el secreto para dormir a los pericos australianos y qué hacer en caso de que el gato se intoxicara con un ratón de peluche.

Hizo todo lo que acostumbraba hacer en el día: caminar, ir a la tienda de abarrotes de doña Severina por cualquier cosa, mirar por la ventana, regar sus plantas, leer cuentos de aventuras y cantarse varias canciones. Por la noche, antes de acostarse, Ombi veía siempre su programa favorito: una serie de caricaturas de una viejita y su lindo canario. Después se acostaba y soñaba, como casi todas las noches, con una hermosa hija llena de moños y broches. Sólo que esta vez soñó con un niño bizco, sin zapatos, que la miraba mientras tomaba un enorme vaso de leche. Ombi se despertó bastante asustada. Se mordió muy fuerte el labio de abajo, se comió la uña del índice derecho y se rascó la cabeza hasta sentir que tenía piojos. Estaba preocupada. Por primera vez en sus veintidós años de contestar cartas se había equivocado: Jonás y su mamá eran diferentes por una sola razón y apenas lo acababa de descubrir.

Corrió al comedor y redactó la siguiente carta:

Querido Jonás:

Olvida mi carta anterior. ¡Ya sé por qué crees que eres tan diferente a tu mamá! Tú ves todo de otra forma, digamos, de una manera "cruzada" o "doble", o sea, por tus ojos, ¿me entiendes?

Tu segura servidora

Ombi Yosuna

Ombi tomó su bata de florecitas, estaba un poco manchada, pero no le importó. Trató de acomodar su revuelta cabellera con un peine: sólo consiguió que éste se quedara ahí dentro. Se puso un poco de lápiz labial, se miró al espejo y se dijo con voz de urgencia:

—Rápido, chulada, ¡corre y vuela!

Ésa era una orden que Ombi no se daba con frecuencia. Decirse a sí misma "corre y vuela" significaba, más o menos, "no te detengas a mirar por la ventana, no hables con nadie en la escalera, no mordisquees ningún pan con mantequilla", en fin, cualquier cosa que pudiera distraerla.

Pero esta vez, por sorprendente que le pareciera a ella misma, se fue directo al buzón de correos que estaba en la esquina. Metió la carta dirigida a Jonás y suspiró profundamente. Entonces notó que una mamá, parecida a la del dibujo, con un niño, muy similar también al del dibujo, corrían

para cruzar la calle antes de ser atropellados por el camión de la basura.

—¡Újule!

Se alcanzó a escuchar.

—Sí, ¡újule! —contestó el pequeño a su madre.

A Ombi se le llenaron los ojos de lágrimas nada más de pensar que a ella le pudiera pasar algo así con su hija imaginaria, tan sonriente y tan llena de moños y broches. Sintió una punzada en el estómago. Se quedó viendo a la madre y al hijo y tuvo un presentimiento. Entonces gritó, gritó con todas sus fuerzas:

—¡Joooonaaaaaaaás!

Pero en esos precisos momentos pasó una motocicleta haciendo un ruido tremendo como de pedorrera. Y al fabuloso grito de Ombi se lo llevó el viento. Un pajarito, que estaba detenido en una rama no muy alta de un árbol cercano, vio toda la escena. Pero no dijo nada, claro, porque

a los pájaros

nadie

los entiende.

LA TARTA Y LA FLOR

Esa tarde, el señor Conac y Ombi saldrían al cine: irían a ver cualquiera de las películas que daban en el cine Nobles, el que estaba a la vuelta de su casa. Como todos los martes de cada semana de tantos meses de los años que llevaban de conocerse, el señor Conac haría su pregunta de siempre y Ombi contestaría su ya conocida respuesta:

—No sé, tal vez, puede ser... ¿Qué vamos a ver?

Sin embargo, por esta única vez cuando llegó el señor Conac, Ombi no estaba lista. Todavía llevaba puesta su bata de florecitas y sus pantuflas. Había logrado sacar el peine de su ya peinada cabellera y se notaba visiblemente distraída. Por eso, cuando el señor Conac hizo su famosa pregunta y Ombi no le respondió, éste no supo qué hacer. Entró, lo que se dice, en pánico. Sintió un mareo tremendo y tuvo que sostenerse del marco de la puerta de entrada. Ombi le ofreció un vaso de agua.

—Ombi, querida, ¿le sucede algo? —quiso averiguar el señor Conac con una voz muy amable.

Ombi trató de responder. De verdad lo intentó, pero inmediatamente se le llenaron los ojos de lágrimas. El señor Conac le tocó el hombro izquierdo en señal de afecto y la condujo hasta la mesa del comedor. Ahí, sentados ante un hermoso frutero de flores y frutas de plástico, Ombi le contó

lo de la carta de Jonás. Cuando terminó de hablar, se sonó la nariz tres veces e intentó acomodarse un chino que ya se le había rebelado de su perfecto peinado.

—Bueno, las cartas de los niños siempre son muy conmovedoras —dijo él para tratar de consolarla. Después contó una larga, larguísima historia de un sobrino suyo que tenía un pequeño defecto: una oreja más grande que la otra. Ombi no comprendió muy bien por qué le contó aquella historia. Sólo entendió la parte de las golosinas que su sobrino, un tal Urbano, disfrutó con un agente de la policía.

Ombi pensó que era buen momento para ofrecerle un té al señor Conac. Y lo hizo. Después de tomar el té decidió confesarle su secreto: le habló de su hija imaginaria y de sus doscientos veintiocho broches y sus ciento treinta y cinco moños que llevaba coleccionando desde hacía más de veinte años. El señor Conac suspiró. Pensó que nunca en toda su vida había escuchado un relato más enternecedor. Tuvo una idea:

—Si usted me lo permite, querida Ombi, yo quisiera escribirle una carta a ese Jonás.

Ombi lo pensó durante dos minutos y después contestó categórica:

—Imposible. Ése es mi trabajo. Pero agradezco el gesto.

Y después bostezó tan profundamente que el señor Conac entendió que era hora de marcharse.

A la mañana siguiente, Ombi salió a la esquina donde estaba el buzón de correos.

Podemos imaginarnos perfectamente a quién buscaba. Pero lo que ella no supo es que ese día Jonás tuvo un terrible dolor de panza y no fue a la escuela.

Bueno, no fue a la escuela pero sí acompañó a su tía Refugio a la farmacia. Y lo hizo justo en el momento en que Ombi también entraba ahí a comprarse unas sales para su baño de pies.

Jonás no pudo apartar los ojos de Ombi. Y es que cuando uno tiene un problema en mente es difícil recordar que hay que vestirse correctamente. Ombi llevaba su hermoso vestido color verde limón con piñitas. Sólo que se lo había puesto al revés. Pequeño detalle. Lo que hacía que el cierre quedara al frente y el cinturón de moño por detrás. Se había olvidado de combinar las dos medias correctamente: la pierna derecha era de color marrón y la otra de tonos azules. Los zapatos, bueno, ¿quién puede recordar en momentos importantes cómo abrocharlos adecuadamente? En fin. ¿Y la pintura labial? ¿Y la de los ojos? Sólo diremos, para no ofender a Ombi, que a veces esos delicados trazos sobre la cara hacen de nosotros unos posibles payasos. Bueno, en realidad es una exageración, pero de que se equivocó: se equivocó.

Jonás, el pequeño Jonás, que no podía apartar sus ojos de ella, apretó con mucha intensidad la mano de su tía Refugio. Por algo llevaba ella ese nombre.

Ombi compró sus sales y salió arrastrando los pies. Estaba claro: no había reconocido a Jonás.

Después de darse un largo baño que le ayudó a recuperar la calma, sonó el timbre: era el señor Conac. Traía de regalo una hermosa perrita yorkshire, de las que son casi puro pelo. Ombi se le quedó mirando directo a los ojos. La perra le ladró lo más fuerte que pudo e inmediatamente le soltó una mordida tremenda en su mano derecha. Ombi gritó de dolor, el señor Conac puso en el suelo a la perra para poder ayudar a su amiga. La perra corrió, olfateó cada rincón y justo debajo de la mesa del comedor se puso de cuclillas y...

El señor Conac tuvo que llevarse su regalo.

La idea del señor Conac era muy conmovedora: quería regalarle la pequeña perra a su amiga para que pusiera en ella cada uno de los broches y moños que había comprado para su hija imaginaria. Ya habría tiempo de explicarle y de intentar dársela de nuevo. Por lo pronto él la educaría. El señor Conac, después de encerrar a Polita, la perra, en su departamento, salió a la tienda de mascotas por un manual educativo. Y regresó muy contento, se notaba por esa enorme sonrisa que no podía ocultar bajo los largos bigotes retorcidos.

Mientras tanto Ombi se tranquilizó así:

—Chulada, refréscate un poco y te sentirás mejor.

Entonces se fue al congelador: metió la cara durante unos largos segundos y después la sacó completamente fría. Era un remedio que no fallaba. En esos precisos instantes sonó el timbre dos veces: era la señal del cartero. El corazón le dio un vuelco. Ombi estaba acostumbrada a recibir cartas una sola vez a la semana: esto era algo fuera de lugar. Se apresuró más que de costumbre. Bajó de dos en dos las escaleras: prácticamente le arrebató de la mano al señor Veedor la única carta que llevaba y volvió a subir la escalera de la misma manera en que la había bajado. El señor Veedor se quedó atónito y con la mano extendida. Comprendió que algo extraño sucedía. Se dio la vuelta un poco triste, porque cuando se quiere a alguien y ese alguien no nos saluda sentimos como agua helada en todo el cuerpo.

Ombi abrió con trabajos la carta: la mordida en su mano derecha le impedía ser todo lo hábil que antes era. Maltrató bastante el sobre y rompió ligeramente la carta, lo que la hizo sentir fatal.

Era de Jonás.

NO VEO TODO ASÍ. Me salió mal el dibujo, a cualquiera le puede pasar, como dijo mi tía cuando vimos a una payasa mal disfrazada en la farmacia. Y además se me olvidó dibujarme con zapatos. Así soy yo y así es mi mamá:

¿Ves?, pero no entiendo la diferencia.

Jonás

¡Ajá!, pensó Ombi. Este niñito se quiere pasar de listo. Y miró detenidamente el dibujo. Mejor aún: lo pegó en la ventana de la cocina con cinta en las esquinas, de esta manera podría mirarlo cada vez que cocinara algo. Y eso era muy frecuente. Porque a Ombi lo que más le gustaba en la vida, además de contestar cartas, era comer. Mientras se cocinaba un ligero tentempié de poro con papa, notó que, en efecto, en el dibujo el niño tenía bien puestos los ojos. No era bizco. Esta vez el pequeño llevaba dos enormes zapatos. ¿Cuál era esa diferencia que Jonás no entendía?

Ombi se preparó un té de menta. Sólo diremos que se mordisqueó las uñas de la mano izquierda, se limó las de los pies y volvió a mirar detenidamente el dibujo.

Ombi notó algo extraño. Realmente diferente.

Tomó una rara decisión: no le contestaría a Jonás sino hasta haber preparado una deliciosa tarta de manzana. Se puso su chal con listones, se colocó su sombrero verde aceituna, amarró su moño de haditas alrededor del cuello, se puso perfectamente bien el lápiz labial, echó una mirada al espejo y se dijo cerrando el ojo derecho:

—Chulada, estás hermosa.

Bajó las escaleras como las damas de la corte: lenta y elegantemente. El señor Conac se asomó apenas escuchó que Ombi abría la puerta, suspiró: vio bajar a la mujer más linda del mundo. La perra lo delató: ladró con tanta furia a su no dueña que ésta volteó y sonrió coquetamente al

señor Conac. ¿Cómo explicar aquí lo que él sintió? Podemos contar que se empezó a escuchar un poderoso sonido como de tambores, algo así: tum-tum-tum-tum-tum-tum-tum-tum. Cada vez más fuerte, cada vez más rápido, como un cohete espacial a punto de estallar.

Ombi terminó de bajar las escaleras con la certeza de ser una verdadera princesa: cruzó la calle, la peligrosa calle.

—¡Újule! —alcanzó a escuchar y apenas vio a un niño pequeño de la mano de su madre que daba la vuelta en la esquina. ¿Jonás?

No. No. No. Pensó tres veces seguidas. Los remitentes de las cartas no se aparecían así como así. Se acomodó el sombrero, se ajustó el chal de listones y entró en la tienda de abarrotes de doña Severina como quien entra en un palacio. Todos voltearon a verla: la dueña, su esposo y el gato.

Ombi compró lo necesario y salió como quien sale de un palacio. Preparó su exquisita tarta de manzana y redactó lo siguiente:

Querido Jonás:
TODOS somos DIFERENTES a todos en alguna u otra forma.
Afectuosamente

Ombi Yosuna

Ombi derramó tres lágrimas de buen tamaño. Se notaba muy conmovida por sus propias palabras. Era cierto.

Estaba siendo muy sincera. Cerró los ojos, los apretó y quiso evocar a su pequeña hija imaginaria con sus moños y sus broches, cuando sonó el timbre. Era el señor Conac. El enamorado señor Conac, con una rosa en la mano.

Ombi recibió la rosa con una amable y coqueta sonrisa. E inmediatamente rompió una de sus reglas de oro: invitó a pasar a su amigo en ¡miércoles! Y encima de todo le sirvió una enorme rebanada de tarta de manzana. El enamoradísimo señor Conac, después de comer el último trozo de tarta, le preguntó si podía tomar su mano. Pero Ombi, en esos exactos momentos, miraba con mucha atención el dibujo de Jonás, y justo entonces descubrió la diferencia.

—¡Auugh! —dijo de una manera coqueta, por supuesto.

El señor Conac creyó que la había ofendido, retiró velozmente su mano y se ruborizó. Nadie se dio cuenta. Nadie excepto aquel pequeño pajarito que estaba detenido en una rama no muy alta de un árbol cercano. Pero no dijo nada, claro, porque

a los pájaros

nadie

los escucha.

INSUFRIBLE, INSOPORTABLE, INAGUANTABLE

Ombi estaba desconcertada. Le pidió al señor Conac que se fuera. Necesitaba pensar. Nunca en sus veintidós años de contestar cartas se había equivocado, así es que escribió lo que había notado:

> *Queridísimo Jonás:*
> *Tú te sientes más diferente que todos por el tamaño. Pero te aseguro que un día crecerás y entonces no te sentirás tan distinto a tu mamá y a los demás.*
> *Afectuosamente*
> *Ombi*

> *(Esta vez hizo un dibujo de ella, del señor Conac y del señor Veedor: todos del mismo tamaño.)*

Temprano por la mañana la pondría en el buzón. Era de noche. Al día siguiente, jueves, le tocaba ir a visitar a su hermana a un pueblo lejano. No quería ir. El trabajo se le había acumulado. No tenía contestadas ni la cuarta parte de las cartas. ¿Qué hacer? Decidió pensarlo en la cama. Era el mejor lugar. Se preparó un tazón enorme de palomitas de maíz. Se metió a la cama y comenzó a pensar en voz alta como le gustaba hacerlo.

—Chulada, si vas a visitar a Soviva, te atrasarás aún más en tus deberes. Si te quedas, te sentirás mal de no ver a tu querida hermana. Escoge: uno, te quedas y trabajas; dos, te quedas y trabajas y te preparas algo de comer; tres, te quedas y trabajas, te preparas algo de comer y eres muy feliz.

Y al terminar de decir esto se metió a la boca un puño inmenso de palomitas. Al cabo de un buen rato y de sentirse un poco atragantada y con pedazos de maíz atascados en los dientes, decidió dormirse. Soñó con Jonás y con una perrita peluda llena de broches y moños que trataba de morderlo.

Ombi no fue a visitar a Soviva. Le mandó una paloma mensajera, con un recado que decía:

Querida hermana:

Tengo un problema con la diferencia y varias cartas sin contestar. Pero te quiero mucho. Voy la semana que viene,

Ombi

De pronto sonó el timbre dos veces.

—Buenos días, señorita Ombi, ¡qué bien luce el día de hoy!

—¡Ay!

Ombi se ruborizó. Esta vez, le dio la mano, un poco veloz pero se la dio. El señor Veedor comprendió que su admirada contesta-cartas tenía mucha prisa, por lo que no la detuvo. Entendió, también, que algo extraño sucedía: nunca de los nuncas Ombi había recibido tantas cartas en tan pocos días. Esto era diferente, por eso se atrevió a decir:

—Lo diferente siempre es emocionante —y después le guiñó el ojo izquierdo.

Ombi escuchó sus palabras como se escucha un oráculo, o sea, algo importantísimo, algo que puede cambiar nuestras vidas. Se le quedó viendo a lo más profundo de los ojos. Notó que eran verdes, como los sueños felices. Y sonrió:

—Sí, lo diferente es muy emocionante.

Y después el señor Veedor le entregó la carta de Jonás y ella subió tranquilamente.

Estaba contenta. Puso la carta sobre la mesa. La abrió muy despacio como si no quisiera maltratarla. Esta vez el dibujo era de un cocodrilo enorme de color naranja y de un niño muy pequeño que lo acariciaba. El cocodrilo sonreía. Abajo había seis palabras:

Yo soy diferente de los diferentes.

¿Qué quería decir? ¿Qué hacía ahí un cocodrilo anaranjado con esa enorme sonrisa? Ya lo pensaría más tarde.

Ombi contestó seis cartas atrasadas y ocho de ese día, lo que hizo un total de catorce. Fue demasiado. Notó que

en varias de ellas había comenzado a repetirse. Por ejemplo, entre una receta de salsa de mostaza para hacer unos huevos y otra carta sobre cómo elaborar flores de migajón, había hablado de lo mismo.

Ombi se asustó. Lo que más odiaba en la vida era repetirse en sus cartas. Decidió salir a dar una vuelta al parque. Se arregló bien, se miró en el espejo y tomó su linterna. En realidad no era tarde, pero a Ombi le gustaba pensar que a lo mejor oscurecía y ella no podría ver el camino de regreso, como en el cuento de Hansel y Gretel. Ella siempre decía que si esos pequeños hubieran tenido una linterna en la bolsa no les habría pasado nada de nada: habrían podido regresar perfectamente a casa. Nosotros no pensamos igual, pero como ésta es la historia de Ombi...

Eran las cuatro treinta de la tarde: momento en el que la mayoría de los niños y las niñas salen a jugar al parque. Así es que allí estaban dos amigas brincando la cuerda que tenían atada al poste de la resbaladilla; cuatro pequeñitos metidos en el arenero haciendo ruidos como de camiones; el típico solitario que sólo miraba a los demás; la reina del columpio que no pensaba bajarse hasta dentro de tres horas; el chiquilín que estaba siempre a punto de llorar; el niño que prefería darle puntapiés a su mamá; las niñas que correteaban a las palomas, ¡pobres palomitas!, y otro pequeño más que tenía un globo de color naranja. ¿Jonás?

Ombi se sentó en una banca frente a la fuente. Sacó su linterna. La encendió tres veces y tres veces la apagó. Nosotros sabemos por qué hizo eso: obvio. Pero los niños no. Ellos siempre preguntan ¿Qué haces? Y ése es el principio de una buena conversación:

—¿Qué haces? —preguntaron a coro las niñas que correteaban a las palomas.

—Nada.

—¿Nada?

—Nada. ¿Y ustedes?

—Perseguimos palomas.

—¿Para qué?

—Para que sí.

—Ah. Pobres palomas.

—No. Es divertido.

—Me imagino.

Entonces Ombi dirigió su linterna al niño que tenía el globo color naranja. Obvio que se acercó. Obvio que se quedó viendo a Ombi. Obvio que ella no dijo nada, sólo encendió y apagó la linterna varias veces. Obvio que el niño le preguntó:

—¿Qué haces?

—Juego. ¿Cómo te llamas?

—Chicle Camaleón.

Esta vez Ombi se sorprendió, y nosotros con ella. No era común que un niño respondiera de esa manera.

—Vaya nombre —dijo Ombi.

—¿Y tú?

—Pituca Pituquina.

—Ah.

—¿Tú crees que yo me puedo llamar Pituca Pituquina?

—Sí, si tú quieres, sí.

—Oye, de casualidad, ¿además de llamarte Chicle Camaleón, no te llamas Jonás?

—No. También me llamo Sergio.

—Ah. Pensé que eras un amigo preocupado por la diferencia.

—¿La qué?

—Olvídalo.

Ombi se dio cuenta de que no era Jonás, *su* Jonás, el niño que sí sabía lo de las diferencias. Entonces se puso a mirar a todos con detenimiento y notó varias cosas. Sacó su libreta de apuntes, la de ositos en un columpio, y anotó:

Se visten diferente.
Todos gritan igual.
Se comen los mocos de manera distinta.
Se rascan la cabeza igual.
Sacan la lengua de diversos modos:
unos la enrollan,
otros la hacen taquito,
sólo una niña la enseña toda.

Ombi empezó a morder el lápiz. Lo notó porque le supo feo. Pensó que seguramente ninguno de estos niños estaría pensando en cocodrilos de color naranja que sonreían enormemente. De pronto alzó los ojos, arqueó las cejas y la vio: estaba peinada de trencitas, tenía pecas alrededor de la nariz, usaba veinte pulseras en un brazo y tres relojes en el otro. Sí, ella era única, distinta. ¿En qué momento llegó al parque?

Ombi encendió su linterna tres veces y tres veces la apagó. Obvio que la niña diferente no se acercó. Obvio. Si no, sería igual a los demás. Sólo se quedó viendo a Ombi de una manera muy intensa. Y después le gritó:

—¡Se te van a gastar las pilas!

—¿Qué?

—¡Si sigues así, se te van a gastar las pilas!

—¿Y qué?

—Pues que mañana no vas a poder jugar con tu linterna.

A Ombi le pareció muy inteligente. Pero le cayó un poco mal, porque cuando nos dicen algo así no nos gusta.

La niña se acercó. Miró a Ombi de pies a cabeza y le dijo arrugando la nariz:

—Te ves mal.

—¿Por qué?

—Porque tienes un chino fuera de su lugar, no te pintaste bien los labios, la raya del ojo derecho está más larga que la del izquierdo, se te ve un poco el fondo, tienes un

hoyo en el lado derecho de la media, tus zapatos están muy gastados y traes abierta la bolsa.

El corazón de Ombi empezó a latir con fuerza. Esta niña era insufrible.

—Y qué te importa —le contestó para que se fuera, pero como la niña no se movía le dijo: —soy completamente diferente a los demás.

—Ah —dijo la niña de trencitas—, ¿te fijas en la diferencia? Mi papá dice que no es correcto mirarnos unos a otros en lo que somos distintos, lo importante es ver nuestras semejanzas, o sea, en lo que nos parecemos. Con eso podemos lograr muchas cosas. Por ejemplo, si quisiera ser una luchadora racial lo primero sería ver que tengo ojos, nariz y boca igual que el resto de los seres humanos y no fijarme en la diferencia de piel. Es lo que se llama buscar similitudes y no...

—...diferencias. Ya lo dijiste, niña insoportable.

Aquí habría que decir que Ombi jamás perdía la paciencia y que nunca se había dirigido a una pequeña niña de esa manera, pero para disculparla un poco debemos decir que la niñita era francamente inaguantable.

—Mi papá también me ha dicho que...

Ombi no la dejó terminar. Se puso de pie. Se enfiló hacia la salida del parque, no sin antes notar que había un silencio tremendo: todos, hasta las correteadas palomas, se habían dado cuenta de la conversación y estaban al pendiente del desenlace, que quiere decir el final.

—¿Qué me ven? —se defendió Ombi, pero nadie la escuchó porque en esos momento pasaba el camión de los helados y todos corrieron hacia allá, hasta las palomas, todos excepto un pequeño pajarito que estaba detenido en una rama no muy alta de un árbol cercano. Pero no dijo nada, claro, porque

a los pájaros

nadie

les pone atención.

⚥ VERDE Y AMARILLO

Una vez en su casa Ombi calentó un poco de leche y se sentó delante de su hermoso frutero de flores y frutas de plástico. Notó que las uvas y los plátanos brillaban un poco más bajo la luz del foco. Entonces se dijo algo importante:

—Chulada, tienes que ver las cosas bajo otra luz.

Y sonrió. Porque cuando uno se siente inteligente hay que sonreír.

Y luego se fue a dormir y tuvo un sueño feliz: soñó con un enorme cocodrilo color naranja que se reía.

A la mañana siguiente Ombi escribió en el espejo del baño con su lápiz labial:

¿Por qué Jonás es diferente a su mamá?

Después escribió la misma pregunta en varias hojas de papel y las pegó en toda la casa. Así, cada vez que abriera el refrigerador se encontraría con la pregunta, si se sentaba en su mecedora, si abría la puerta del clóset, si necesitaba algo de la despensa, o simplemente, si abría la ventana o si quería lavar la ropa o sacar un plato, hiciera lo que fuera, ella se estaría preguntando cuál era esa diferencia que buscaba el pequeño Jonás.

En el momento en que Ombi regaba sus plantas pensó esto:

"La odiosa niñita del parque dijo algo sobre las diferencias y las semejanzas, o sea, en qué somos iguales.

¡Ajá!, el asunto más bien es saber en qué es igual Jonás a su mamá y así encontraré en qué es diferente."

Querido Jonás:
Por favor dime todas las cosas en las que eres IGUAL a tu
mamá.

Afectuosamente
Ombi

Ombi salió a caminar. Se compró tres chicles y se los metió a la boca. Claro, siempre es mejor masticar todos juntos. Cuando regresó a su casa estaba de muy buen humor. No sabía que pronto recibiría una respuesta. Afuera, en la cornisa de la ventana de la cocina, había una paloma mensajera. Ombi se emocionó. Pensó que era de su hermana, su querida y extrañada Soviva. Pero no. Tenemos que decir que Ombi se había equivocado: era un mensaje de Jonás.

Querida Ombi. Urgente y más urgente:
Soy igual en que tengo dos ojos y veo bien (no estoy bizco),
tengo una nariz,
una boca,

un cuello,

espalda y frente,

dos brazos,

dos manos con cinco dedos y con sus uñas que no me muerdo,

dos piernas,

dos pies,

cinco dedos en cada pie y todos con uñas.

Y también tengo orejas,

ombligo

y algunos dientes, porque ya se me cayeron cuatro.

Pero eso no es lo diferente.

Jonás

Ombi suspiró. ¿Qué buscaba este niño? ¿Qué necesitaba saber? Ombi recordó la época en que ella y Soviva eran niñas y lo que más les gustaba era chupar unos enormes helados de vainilla. Sonrió. Entonces se le ocurrió preguntarle a Jonás por sus gustos, a lo mejor ahí, en lo que le gustaba o no le gustaba hacer, estaba la diferencia. Después se dijo que no.

—Chulada, es obvio que Jonás no busca esas diferencias. Piensa, tienes que pensar.

En veintidós años de contestar tantas cartas y en otorgar tantos consejos nunca alguien le había hecho una pregunta más difícil:

¿En qué y por qué era distinto Jonás a su mamá?

Ombi se fue al baño, se miro en el espejo y dijo:

—Chulada, mírate bien y dime: ¿en qué fuiste distinta a mamá?

Entonces pensó de la misma manera en que lo hizo Jonás, que ella se parecía en que estaba completita:

con sus dos ojos,
dos brazos,
dos piernas,
su trasero,
su panza,
su ombligo,
su nariz
y todo lo demás.

Claro, ella tenía los ojos verdes, como los sueños felices, y su mamá cafés como los de su hermana. Soviva tenía la frente amplia, era más alta y más delgada. Ella en cambio tenía una piel brillante y rosada y...

No había terminado de pensar en todo esto cuando se le ocurrió preguntarle a Jonás de qué color era, por que ella, a veces, cuando estaba feliz era rosa, pero cuando estaba enojada se ponía roja y de tan roja se notaba morada casi azul. El señor Veedor era tan blanco que parecía una hoja de papel, pero a veces se veía amarillo. El señor Conac era cafecito, pero cuando la invitaba al cine parecía de color naranja. ¿De qué color sería Jonás y de qué color su mamá?

Querido Jonás: dime rápido de qué color eres tú y de qué color es tu mamá.

Ombi

Y por supuesto que usó el correo del aire, o sea, el que va por las nubes.

Ombi trabajó mucho ese día. Tanto que se le olvidó prepararse de comer. Le urgía saber si Jonás y su mamá eran diferentes en el color.

La respuesta llegó cuando Ombi se estaba cepillando los dientes. Por lo que le quedaron fatales, pero ella sólo se dijo:

—Chulada, así te quedarás: con los dientes a medio limpiar.

Y salió disparada a la ventana de la cocina, donde la esperaba el mensaje.

Era un dibujo muy hermoso. ¿Cómo le hacía Jonás para dibujar tan rápido y tan bien?

Todo era de color azul: azul cielo, el cielo, obvio, azul fuerte el mar, más obvio. Y en el fondo del mar había un pequeño recuadro con Jonás y su mamá: Jonás estaba pintado de café con puntitos verdes y su mamá toda de blanco con rayas amarillas. En la parte de atrás del dibujo decía:

Sí, soy diferente en la piel. YA LO SÉ, pero ¿por qué?

A Ombi se le llenaron los ojos de lágrimas de la emoción. Pensó en los puntitos verdes, ¿tendría varicela tropical? Y en las rayas amarillas de su mamá, ¿habría ido a ver a las cebras? Pues ahí estaba la diferencia. Ombi sentía que era su deber explicarle a Jonás todo esto. Entonces decidió salir a patinar.

Cuando estaba a punto de cruzar la calle, la peligrosa calle, escuchó que alguien gritaba:

—¡Újule!

Era una mamá que le acababa de salvar la vida a su pequeño hijo. Casi los atropella un camión. Ombi pensó en su linda hija imaginaria tan llena de broches y moños y tan sonriente. Y se le llenaron los ojos de lágrimas. Entonces se apresuró a cruzar la calle, se deslizó rápido, rapidísimo, y alcanzó a esa mamá y a su pequeño. Se acercó a ellos y los miró con detenimiento. No, nada de puntitos verdes o de rayas amarillas.

Decidió preguntarle al niño cómo se llamaba, pero cuando éste le contestó, una camioneta que repartía refrescos tocó el claxon tan fuerte que nadie escuchó lo que el pequeño dijo. Ni siquiera el pajarito en su acostumbrada rama. Porque

esta vez,

no

estaba.

LA VACA

Cuando pasó el camión de los refrescos, ya habían desaparecido la mamá y su pequeño. Ombi pensó que no era *su* Jonás. Él debía tener en alguna parte puntitos verdes y su mamá una que otra raya amarilla.

Una vez de regreso, cansada de patinar por la calle, decidió mirar por la ventana. Después de un buen rato se dijo:

—Chulada: la diferencia en la piel no hace a los hijos diferentes.

Esta vez no quiso escribirle a Jonás. Subió al departamento del señor Conac.

Cuando el señor Conac le abrió, se puso de color anaranjado. Ombi sabía que algo le había dado pena, ¿qué podía ser? Le pidió que la dejara pasar a su casa. El señor Conac se negó. Era algo raro, el señor Conac siempre quería invitarla. ¿Por qué esta vez no lo hacía?

Cuando ya se iba, Ombi escuchó: cloc, cloc, cloc, cloc.

—¿Una gallina? Señor Conac, ¿tiene usted una gallina?

Volvió a escuchar: cloc, cloc, cloc,cloc.

El señor Conac dijo:

—Déjeme explicarle. Adelante.

Abrió la puerta y la dejó pasar. Ombi notó que su casa estaba muy desordenada: había cojines tirados en el piso, pequeños juguetes regados por toda la casa, una gallina que picoteaba unos granos de maíz y la perrita insoportable que ahora ¡tenía un montón de trencitas en el pelo!

Ombi no dijo nada, porque a los amigos no se les critican sus casas.

El señor Conac agradeció el gesto. Y le explicó:

—Ombi, decidí educar a Polita.

—¿A quién?

—A mi perra. Compré un manual muy interesante donde dice que es mejor que las mascotas tengan su propia mascota. Fui con ella a la tienda de animales y Polita escogió a la gallina. Se llevan muy bien, juegan, comen juntas, se platican, ¿sabe?

No. Ombi no sabía nada de mascotas que adoptan otras mascotas. Y para ser francos le parecía un tanto extraño, sin embargo, ella no venía a esto, así es que simplemente sonrió.

—Señor Conac, en realidad yo quería pedirle su consejo.

El señor Conac se ruborizó.

—Dígame, Ombi, ¿en qué puedo servirle?

—No entiendo por qué Jonás se siente tan diferente a su mamá. Es completamente distinto en tamaño, obvio, y ahora sé, en el color de la piel. Pero eso no es suficiente. Hay mamás rosas que tienen hijos cafecitos o rojos o blancos o un poco amarillos o hasta verdes. Y no sé cómo ayudarlo.

El señor Conac dijo muy conmovido:

—A veces, cuando tallo la madera y hago, por ejemplo, una vaca que debe ser igual a otra vaca, siempre, siempre

sale diferente. Sin embargo, sé que no importa porque yo, cuando trabajo, lo hago con todo el corazón.

—Ah —dijo Ombi muy contenta—, es como con los cocodrilos: hay unos que son de color naranja, diferentes a los demás, y que se ríen por cualquier cosa. Pero ahora sé que ellos también están hechos con el corazón.

Se levantó lo más rápido que pudo, como si fuera un cocodrilo asustado que sale del pantano, abrió la puerta y desapareció. El señor Conac no dijo nada. Pero se sintió un poco triste: pensó que no había podido ayudar a su querida amiga. Se había equivocado.

Ombi fue por su caja de colores que guardaba debajo de la cama. Porque cuando uno descubre algo es mejor dibujarlo. Le sacó punta a los lápices y se puso a dibujar. Ombi tardó mucho tiempo, tanto que se quedó dormida y tuvo un extraño sueño con vacas que volaban y vacas que buceaban hasta el fondo del mar.

Ombi le escribió esta carta a Jonás, *su* Jonás:

Querido:
¡Qué bueno que eres tan diferente!

Tu amiga
Ombi

Y le mandó su dibujo de una vaca pequeña con un corazón también pequeño junto a su mamá vaca que tenía un corazón grande.

Y como el cielo estaba nublado no encontró ninguna paloma mensajera. Así es que Ombi se puso su impermeable y bajó hasta el buzón de la esquina. Pero ¡cuidado! En esos instantes pasaba una mamá en bicicleta con su pequeño sentado en la canastilla de atrás. ¿Jonás? No, claro que no. Este niño no tenía puntitos verdes en ninguna parte ni su mamá, alguna raya amarilla... Aunque viéndolos bien, él trae puesta una camiseta con puntitos verdes y ella, una falda de rayas amarillas. Ombi se rascó la cabeza tres veces. Se mordió el labio de abajo y decidió gritar con todas sus fuerzas:

—¡Joooonaaaaaaaás!

Pero en esos momentos un hombre alto, muy alto, pasó frente a ella y detuvo el grito con su cuerpo. Nadie escuchó. Nadie, excepto aquel pequeño pajarito que estaba detenido en una rama, no muy alta, de un árbol cercano. Pero no dijo nada, claro, porque

a los pájaros
nadie
los voltea a ver.

EL MEJOR PREMIO DEL MUNDO

Cuando Jonás recibió su carta se puso muy contento. Y, por primera vez, se la mostró a su mamá con todo y dibujo. Su mamá, entonces, habló con él y le explicó por qué eran diferentes él y ella.

Le contó que cuando se casó con su papá, todos los días esperaban que el bebé llegara pronto, muy pronto, más pronto. Pero como Jonás no se decidía a llegar a esa familia, entonces tuvieron que salir a buscarlo. Le explicó que hay mamás y papás que deciden hacerlo de esa manera. Entonces su cara se iluminó como si tuviera un sol adentro y sus ojos brillaron con el mismo brillo de la luna. Jonás comprendió por qué se sentía tan diferente a su mamá, y también entendió que él tuvo la suerte de tener dos mamás: una que lo tuvo en su panza y otra que le dio todo su corazón. Y se sintió doblemente feliz, como tener muy juntos a la luna y al sol.

Jonás y su mamá hicieron dibujos, muchos dibujos. Casi todos de vacas. Vacas voladoras, vacas buceadoras, vacas que manejaban un tractor o que limpiaban un bosque con su cola. Vacas en una granja cuidando gallinas, borregos y más vacas. Vacas en el patio de una escuela. Vacas lectoras de cuentos de aventuras y vacas soñadoras abrazadas a su mamá.

Después de tomarse un enorme vaso de leche de vainilla Jonás le escribió a Ombi:

Querida Ombi. Urgente:

Dice mi mamá que yo no soy hijo de su panza sino de su corazón.

Igual que la vaca.

Jonás

Y por supuesto que venía con un dibujo de una vaca grande junto a una pequeña. Una tenía puntitos verdes por todas partes, la otra, rayas, muchas rayas amarillas.

Cuando Ombi recibió esta carta se puso a cantar tan fuerte su canción del columpio y la lombriz que el señor Veedor, que iba a cruzar la calle, la peligrosa calle, sonrió con una sonrisa como de relámpago y el señor Conac, con Polita y su gallina, también sonrió con una sonrisa como de estrellas.

Ombi sabía cuáles eran los hijos del corazón. Por supuesto que lo sabía, y eso la puso muy feliz. Sólo las mamás y los hijos de esas mamás, lo saben. Y eso es algo muy bello. Porque no todos los días se ve a mamás y papás con corazones tan grandes, como de vaca, para tener hijos así: no de su panza, sino del corazón. Y claro que son hijos aunque no hayan estado en la panza. Entonces sonrió.

Ombi se miró en el espejo y se dijo:

—Chulada, te felicito. Mereces un premio.

Y como a Ombi le encantaban los premios se vistió muy elegante, claro, para recibir uno hay que vestirse bien.

Ombi tardó dos horas con diecisiete minutos en estar lista. Quedó preciosa:

la raya de los ojos le quedó perfecta,
el lápiz labial estaba en su sitio,
se polveó la nariz,
se untó rubor en las mejillas,
se peinó perfectamente los chinos y ninguno se salió de su lugar,
escogió su vestido de fresas y platanitos y se lo puso como debía,
usó sus medias con lunas brillantes,
se abrochó correctamente los zapatos de charol,
tomó su bolsa y salió.

El señor Conac la vio, la siguió y se sintió verdaderamente feliz de estar enamorado, enamoradísimo, de la mujer más bella de su edificio, su colonia, su código postal, su ciudad, su estado, su país, del planeta entero.

Ombi fue al parque. Se sentó en la banca frente a la fuente. No había niños, tampoco niñas. Obvio: estaban en la escuela. El señor Conac se escondió detrás de un árbol, no sin antes haber comprado una rosa para su amada.

Ombi masticó tres chicles juntos. De lejos, como a diez árboles grandes de ahí, pasó el señor Veedor con su bolsa llena de cartas, otras cartas.

Y luego llegó un perro. Ombi habló con él, porque estaba muy contenta y quería hablar con alguien. El perro, claro, la escuchó. Pero después vio una paloma y se fue a correterarla.

El señor Conac se acercó. Se sentó junto a ella: le entregó la flor. Ombi le dio las gracias. Le contó lo de Jonás. El señor Conac dijo una frase muy hermosa:

—Sí, todos somos hijos del corazón.

Ombi sonrió con una sonrisa como de sol.

Y después el señor Conac se atrevió a preguntarle algo, algo importante.

Pero en esos exactos momentos levantaron el vuelo todas las palomas, que eran muchísimas, y nadie lo escuchó. Nadie, excepto aquel pequeño pajarito que estaba detenido en una rama, no muy alta, de un árbol cercano. Pero no dijo nada, claro, porque a los pájaros, ya lo sabemos, nadie los escucha, les pone atención, los entiende o los voltea a ver.

Nadie, excepto Ombi que por única vez volteó para arriba, lo vio, le puso mucha atención, le entendió y le contestó así al señor Conac:

—No sé, tal vez, puede ser, ¿cuándo?

Y le tendió la mano, como quien recibe, por supuesto, un premio: el mejor de todos.

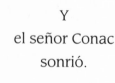

Y

el señor Conac

sonrió.

⌐ UN PLUMERO

Ombia Yosuna Liana y el señor Conac se casaron en la primavera, cuando los árboles están llenos de flores y las flores son de muchos colores.

No compartieron la misma casa. Lo que sí hicieron fue comunicar sus departamentos. Como el señor Conac vivía arriba de Ombi, perforaron su estancia, justo del lado de la ventana que daba a la calle, y pusieron una enorme escalera de caracol.

—Como de piratas —había comentado Ombi.

Y para bajar, porque siempre se debe bajar cuando se sube, prefirieron poner una resbaladilla junto a la terraza del señor Conac. Era obvio que la usaban mucho, y era obvio que se divertían, también Polita y la gallina, que para estas fechas ya se llevaban muy bien y habían aprendido a comer en la cocina.

Eran, lo que se dice, una familia feliz.

El señor Conac había terminado un ejército de vacas de madera: todas iguales pero diferentes, y Ombi seguía contestando carta tras carta todos los días. Sólo a veces, para ser más precisos, los domingos, podía darse el lujo de detener su pluma e ir al lago a remar o al parque a mirar a los niños y a las palomas. En una ocasión Ombi había visto de lejos a la niña diferente, aquella insoportable que le habló de las diferencias y las semejanzas. En otras había escuchado a una madre gritar en la calle, la peligrosa calle:

—¡Újule!

Y un pequeño que siempre iba con ella, repetía:

—Sí, ¡újule!

Y Ombi, entonces, pensaba en Jonás. Pero sabía, porque las cosas buenas siempre se saben, que ése no era *su* Jonás. El suyo se había ido a vivir al mar y todas las mañanas se subía en un camión verde para ir a la escuela. Lo sabía porque entre ella y Jonás existía una hermosa correspondencia que siempre, siempre, iba acompañada de un dibujo.

Y pasó el tiempo. No mucho, porque Ombi y el señor Conac ya estaban un poco, un poquito, grandes. Y cuando uno está así como ellos, el tiempo empieza a pasar más despacio, como las bicicletas que van de subida.

Un día, diremos para ser exactos que fue un lunes, el señor Conac le dijo a Ombi en el desayuno:

—Querida: es hora de poner orden y de limpiar nuestras vidas.

Ombi sonrió con una sonrisa de leche de vainilla.

Por supuesto que el señor Conac había usado una metáfora, o sea, que dijo algo por querer decir otra cosa. Y como las metáforas cada quien las entiende como puede, Ombi creyó que se refería a limpiar y a ordenar un poco más sus casas.

Fue a la tienda de doña Severina. Compró jabón en polvo, jabón en pasta, un trapeador, una escoba y una jerga. Y comenzó a barrer, a tallar, a fregar, a limpiar. Después de cuatro horas y media, las casas de ambos olían a bosque.

—Sólo falta un pajarito —dijo Ombi—, aquel hermoso pajarito.

Se asomó a la ventana: nada.

El señor Conac había ido a una tienda a dejar su ejército de vacas de madera. Cuando regresó se imaginó que entraba a un cuento. Un cuento con un bosque, por supuesto, una hermosa casita de colores y una linda princesa que cantaba y horneaba pasteles de almendra.

—¡Qué delicioso huele! —dijo el señor Conac.

Ombi sonrió pero pensó que se refería al olor a limpio.

El señor Conac comentó:

—Aquí falta, falta un, un, ¿cómo decirlo?

—¿Un qué? —Ombi volteó a ver detenidamente todo. ¡Ajá! Todavía quedaba un poco de polvo en la lámpara del comedor.

—Parece que con, un, un...

El señor Conac agitó su brazo derecho en el aire porque no encontraba la palabra exacta. Estaba pensando en decir: un hijo, o más bien una hija, porque para él ésa sería la felicidad completa.

Entonces Ombi lo miró con ojos enternecidos y le preguntó:

—¿Un qué, querido? ¿Piensas lo mismo que yo? —Ombi miró a lo alto, hacia la lámpara.

El señor Conac la imitó. Imaginó que su mujer quería decir:

—Sí, la luz, la luz del hogar.

Ombi pensó inmediatamente en cómo limpiar la lámpara que le quedaba tan alta. Hizo un movimiento con sus brazos, como de limpieza:

—Querida, parece que quieres volar —y al decir esto al señor Conac se le llenaron, por supuesto, los ojos de lágrimas.

—Sí, quisiera alzar el vuelo y llegar hasta ahí —dijo Ombi y señaló la lámpara.

—¿Ahí?

—Sí, ahí —y al decir esto Ombi pensó en un hermoso y largo plumero—. Agitaré mi brazo y alcanzaré hasta lo más alto de la casa. No habrá espacio en el que no esté él, lo juro, nunca más.

—Será para nosotros un verdadero hijo, o hija, claro.

Ombi sonrió. Le parecía sumamente cómico que el señor Conac pensara que un plumero podía llegar a ser como un hijo.

—Querida, será todo para nosotros.

Ombi se dio cuenta, entonces, que no pensaban igual. Por eso preguntó:

—Señor Conac, ¿usted, de qué rayos habla?

—Para mí será siempre, siempre, alguien de mi corazón.

Ombi volteó a la ventana, porque cuando las cosas no se entienden bien es mejor mirar para afuera. Y vio el cielo tan azul con sus nubes blancas y un sol radiante. Vio un globo anaranjado, enorme, que pasaba volando, solo, sin nadie. Y pensó en la risa, la risa de los cocodrilos. Entonces Ombi sonrió al recordar la hermosa historia de Jonás. Y supo lo que el señor Conac quería decir:

—Sí, yo también quiero tener uno o una, pero del corazón.

Y sabía, porque las cosas buenas siempre se saben, que al día siguiente empezarían a buscarlo. O buscarla, porque
¿a quién ponerle
los doscientos veintiocho broches
y los ciento treinta y cinco moños?

 LA RISA DE LOS COCODRILOS

se imprimió en el mes de octubre de 2008, en los talleres de Offset
Rebosán, Acueducto núm. 115, Col. Huipulco, Delegación Tlalpan,
C. P. 14370, México, D. F. • Se utilizaron las familias ITC Leawood
y Lithos • Se imprimieron 4 500 ejemplares: 3 000 para
Ediciones El Naranjo y 1 500 para Conaculta, en papel cultural
de 90 gramos y con encuadernación rústica.